Fernão Capelo Gaivota

Fernão Capelo Gaivota
Richard Bach

Fotos de Russell Munson

Tradução de
RUY JUNGMANN

Parte 4 Traduzida por
MÁRCIA ALVES

15ª edição

CIP-BRASIL. CATALOGAÇÃO NA FONTE
SINDICATO NACIONAL DOS EDITORES DE LIVROS, RJ

Bach, Richard, 1936

B118f   Fernão Capelo Gaivota: edição completa incluindo a inédita Parte 4 / 15ª ed. Richard Bach; tradução de Ruy Jungmann, Márcia Alves. – 15ª ed. – Rio de Janeiro: Record, 2024.

Tradução de: Jonathan Livingston Seagull: The Complete Edition includes the rediscovered Part Four
ISBN 978-85-01-10612-4

1. Ficção americana. I. Jungmann, Ruy, 1924-. II. Alves, Márcia. III. Título.

15-24100
CDD: 813
CDU: 821.111(73)-3

Título original: Jonathan Livingston Seagull: The Complete Edition includes the rediscovered Part Four

Copyright da tradução © 2015, Editora Record

Jonathan Livingston Seagull: The Complete Edition includes the rediscovered Part Four

Copyright © 1970 by Sabryna A. Bach
Renovação do Copyright © 1998 by Sabryna A. Bach
Copyright do novo material © 2014 by Sabryna A. Bach
Copyright das fotos © 1970 by Russell Munson
Renovação do Copyright das fotos © 1998 by Russell Munson
Copyright das novas fotos © 2014 by Russell Munson
Copyright da foto na página da dedicatória © 2014 by Sabryna A. Bach

Publicado mediante acordo com a editora original SCRIBNER, uma divisão da Simon & Schuster, Inc.

Capa adaptada da original de Tom Bean
Fotos de Russell Munson

Texto revisado segundo o novo Acordo Ortográfico da Língua Portuguesa.

Todos os direitos reservados. Proibida a reprodução, no todo ou em parte, através de quaisquer meios. Os direitos morais do autor foram assegurados.

Direitos exclusivos de publicação em língua portuguesa somente para o Brasil adquiridos pela
EDITORA RECORD LTDA.
Rua Argentina, 171 – Rio de Janeiro, RJ – 20921-380 – Tel.: 2585-2000, que se reserva a propriedade literária desta tradução.

Impresso no Brasil

ISBN 978-85-01-10612-4

Seja um leitor preferencial Record.
Cadastre-se no site www.record.com.br e receba informações sobre nossos lançamentos e nossas promoções.

Atendimento e venda direta ao leitor:
sac@record.com.br

EDITORA AFILIADA

Para o Fernão Capelo Gaivota
que vive dentro de todos nós

Parte 1

Era manhã e o sol do novo dia faiscava dourado sobre as pequeninas rugas do mar tranquilo.

A 1,5 quilômetro da costa, um barco de pesca dividia fraternalmente o espaço com a água. A palavra de aviso para o Bando do Café da Manhã relampejou através do ar até que o grupo de milhares de gaivotas desceu, uma se esquivando da outra, para disputar migalhas de comida. Começava um novo e movimentado dia.

Sozinho e distante, muito além do barco e da praia, Fernão Capelo Gaivota treinava. A cerca de 30 metros de altura, baixou os pés palmados, ergueu o bico e colocou toda sua força nas asas, para que elas conseguissem fazer a curva dolorosa e difícil. Com a curva, voaria lentamente. Nesse momento, reduziu o impulso até que o vento se transformou em um sussurro em sua face, até que o oceano ficou imóvel lá embaixo. Apertou os olhos em feroz concentração, prendeu o fôlego, obrigou-se a alongar a curva por mais um... único... mais um... centímetro... Nesse momento, porém, as penas se encresparam, ele perdeu sustentação e caiu.

Gaivotas, como todo mundo sabe, jamais vacilam, jamais perdem altura. Para elas, perder altura no ar e cair é vergonha e desonra.

Porém Fernão Capelo Gaivota — sem sentir a menor vergonha, estendeu novamente as asas naquela trêmula e difícil curva, perdendo cada vez mais velocidade e caindo outra vez — não era uma ave igual às outras.

A maioria das gaivotas não se preocupa em aprender mais do que o mínimo, no que se refere a voar — como ir da praia até a comida e voltar. Para a maioria, o importante não é voar, mas comer. Para essa gaivota, porém, o que importava não era a comida, mas o voo. Mais do que qualquer outra coisa, Fernão Capelo Gaivota adorava voar.

Pensar assim, descobriu, não é a melhor maneira de tornar-se popular entre as outras aves. Até mesmo seus pais ficavam consternados ao vê-lo passar dias inteiros sozinho, fazendo centenas de planeios a baixa altura, experimentando.

Ele não sabia por que, por exemplo, mas, quando voava acima da água a alturas menores do que metade da envergadura das asas, permanecia mais tempo no ar, com menos esforço. Os planeios não terminavam no chapinhar habitual dos pés na água do mar, mas numa longa e lisa esteira, enquanto ele tocava a superfície com os pés fortemente colados ao corpo. Quando começou a planar para pousar na praia, com os pés erguidos, e em seguida terminar o planeio com passadas na areia, seus pais ficaram realmente muito tristes.

— Por que, Fernão, *por quê?* — perguntou a mãe. — Por que é tão difícil ser igual ao resto do bando? Por que você não pode deixar o voo baixo para os pelicanos, para os albatrozes? Por que você não come? Filho, você é só osso e penas!

— Não me importo em ser só osso e penas, mãe. Quero apenas saber o que posso e o que não posso fazer no ar, só isso. Quero apenas saber.

— Escute aqui, Fernão — disse o pai, com carinho. — O inverno não vai demorar a chegar. O número de barcos de pesca vai diminuir e o peixe da superfície vai nadar no fundo. Se você tem que estudar, então estude a comida e como obtê-la. Esse negócio de voar é muito bacana, mas você não pode comer um rasante, sabe? Não se esqueça de que a razão por que você voa é comer.

Fernão inclinou a cabeça, obediente. Nos dias seguintes, tentou comportar-se como as demais gaivotas, esforçou-se de verdade, grasnando e lutando com o bando em volta de píeres e barcos de pesca, mergulhando para pegar migalhas de peixe e pão. Mas não conseguiu fazer com que a coisa funcionasse.

Tudo isso é tão sem propósito, pensou, soltando deliberadamente a anchova, duramente conquistada, para a felicidade da velha gaivota que o seguia. Eu poderia estar passando todo esse tempo aprendendo a voar. Há tanta coisa para aprender!

Não demorou para Fernão Gaivota estar mais uma vez sozinho, em alto-mar, faminto, feliz, aprendendo.

A matéria era velocidade e, em uma semana de treino, aprendeu mais sobre velocidade do que a gaivota mais rápida que já existiu.

De uma altura de 300 metros, batendo as asas com tanta força quanto conseguia, entrou numa picada vertical em direção às ondas e aprendeu por que gaivotas não dão mergulhos a toda a força em linha reta. Em apenas seis segundos, movia-se a 110 quilômetros por hora, a velocidade na qual a asa torna-se instável na virada para o curso ascendente.

Isso acontecia uma vez atrás da outra. Por mais cuidado que tomasse, e mesmo usando todas as suas habilidades, perdia o controle em alta velocidade.

Suba até 300 metros. Primeiramente, força máxima em linha reta, em seguida projete o corpo para a frente, batendo as asas, e caia em mergulho vertical. E, então, em todas as ocasiões, a asa esquerda perdia sustentação no curso ascendente, girava violentamente para a esquerda, e ele imobilizava a asa direita para recuperar o equilíbrio e rodopiava como uma labareda em uma virada confusa para a direita.

Não conseguia manter o controle necessário para entrar no curso ascendente. Dez vezes tentou e, em todas elas, quando ultrapassava os 110 quilômetros por hora, explodia em uma massa turbilhonante de penas, fora de controle, estatelando-se na água.

10

A solução, pensou finalmente, gotejante, deve estar em manter as asas imóveis em altas velocidades — batê-las até alcançar 80 quilômetros por hora e, em seguida, imobilizá-las. De uma altura de 600 metros, tentou novamente, entrando em mergulho, o bico apontado para baixo, as asas estendidas e imóveis a partir do momento em que ele ultrapassou os 80 quilômetros por hora. Foi preciso fazer uma força enorme, mas ele conseguiu. Em dez segundos, passou como uma sombra indistinta pelos 150 quilômetros por hora. Fernão acabava de estabelecer um recorde mundial para gaivotas!

A vitória, porém, durou pouco. No instante que começou a sair do mergulho, no instante que mudou o ângulo das asas, entrou feito um raio no mesmo terrível e incontrolável desastre que, a 155 quilômetros por hora, atingiu-o como se fosse uma explosão de dinamite. Fernão Gaivota explodiu no ar e caiu em um mar duro como tijolo.

Quando recuperou os sentidos, já era noite e ele flutuava ao luar sobre o mar. As asas eram barras laceradas de chumbo. O peso do fracasso, porém, era ainda maior em suas costas. Desejou, debilmente, que seu peso pudesse ser exatamente o necessário para puxá-lo devagar para o fundo e acabar com aquilo tudo.

Afundando cada vez mais na água, uma voz estranha e oca soou dentro de seu peito. Não há maneira de evitar isso. Eu sou uma gaivota. Sou limitado por minha natureza.

Se fosse meu destino aprender tanto sobre voar, eu teria na cabeça uma carta de voo em vez de cérebro. Se fosse minha sina voar em alta velocidade, teria as asas curtas do falcão e viveria de ratos, em vez de peixes. Meu pai tem razão. Preciso esquecer essas tolices. Tenho que voar de volta para o Bando e ficar contente com o que sou, em ser uma pobre e limitada gaivota.

A voz desapareceu, e Fernão concordou com ela. Lugar de gaivota à noite é na praia. Deste momento em diante, jurou, seria uma gaivota normal. E essa decisão deixaria todos mais felizes.

Cansado, abandonou a água escura e voou para a terra, grato pelo que aprendera sobre voo em baixa altitude, que poupava esforço.

Mas, não, pensou, estou farto de ser o que sou, estou farto de tudo que aprendi. Sou uma gaivota igual às outras e vou voar como elas. E assim, penosamente, voou até cerca de 40 metros de altura, batendo as asas com mais força, e dirigiu-se para a terra.

Sentiu-se melhor com a decisão de ser apenas outra gaivota do bando. Não haveria mais laços, a partir deste momento, com a força que o impulsionara a aprender; não haveria mais desafios e nenhum outro fracasso. E era bom simplesmente deixar de pensar e voar na escuridão para as luzes acima da praia.

Noite! A voz cavernosa disse, áspera, alarmada. Gaivotas jamais voam à noite!

Fernão, porém, não estava prestando atenção na voz. É gostoso, pensou. A lua e as luzes tremeluzindo na água, lançando

14

na noite pequenos feixes de claridade, como se fossem faróis, e tudo tão tranquilo e silencioso...

Desça! Gaivotas jamais voam à noite! Se tivessem nascido para voar à noite, elas teriam olhos de coruja! Você teria cartas de navegação na cabeça, em vez de cérebro! Teria as asas curtas do falcão!

Ali, na noite, a cerca de 40 metros de altura, Fernão Capelo Gaivota pestanejou. A dor e as decisões que tomara sumiram como por encanto.

Asas curtas. *As asas curtas do falcão!*

É essa a solução! Como fui tolo! Só preciso mesmo de uma asinha de nada, só preciso dobrar uma grande parte das minhas asas e voar apenas com as pontas! *Asas curtas!*

Subiu até 700 metros acima do mar escuro e, sem pensar em fracasso ou morte, puxou o primeiro segmento da asa para bem perto do corpo, deixando estendidas apenas as adagas das pontas voltadas para trás, e mergulhou na vertical.

O vento era um rugido monstruoso em sua cabeça. Cento e dez quilômetros por hora, 145, 190, e ainda mais rápido. A tensão do vento nesse momento, a 225 quilômetros por hora, não era nem de longe tão forte quanto fora a 110 e, com a menor das torcidas na ponta das asas, saiu do mergulho e subiu como uma bala acima das ondas, uma bala de canhão cinzenta à luz da lua.

Apertou os olhos em frestas para proteger-se do vento e sentiu um grande júbilo. Duzentos e vinte e cinco quilômetros por hora! E sob controle! Se eu mergulhar de 1.500 metros de altura, em vez de 800, que velocidade eu...

As promessas feitas um momento antes foram esquecidas, varridas por aquela grande lufada de vento. Ainda assim, nenhuma culpa sentiu por ter quebrado as promessas que fizera a si mesmo. Promessas desse tipo só valem para gaivotas que aceitam o comum. Aquela que experimentou o gosto da excelência em sua aprendizagem não precisa desse tipo de promessa.

O alvorecer encontrou-o treinando, mais uma vez. De uma altitude de 1.500 metros, os barcos de pesca eram pintinhas no tabuleiro de água azul. O Bando do Café da Manhã era uma nuvem indistinta de grãos de poeira, descrevendo círculos.

Ele estava vivo, tremendo, de leve, de puro deleite, orgulhoso de ter o medo sob controle. Em seguida, sem cerimônia, puxou para o corpo o primeiro segmento das asas, estendeu as pontas curtas, angulares, e mergulhou direto para o mar. Ao ultrapassar os 1.250 metros, alcançou a velocidade final, e o vento se transformou em uma parede sólida de som, contra a qual não podia mover-se mais rápido. Nesse momento, voava em queda vertical, a 340 quilômetros por hora. Engoliu em seco, sabendo que, se as asas se abrissem àquela velocidade, ele explodiria em milhares de pedacinhos de gaivota. Velocidade, porém, era poder, alegria, pura beleza.

Começou a sair do mergulho a 350 metros de altitude, as pontas das asas vibrando e tornando-se indistintas no vento furioso, o barco de pesca e o aglomerado de gaivotas inclinando-se e crescendo com a velocidade de um meteoro em sua direção.

Não podia parar. Não sabia ainda nem mesmo como virar-se naquela velocidade.

A colisão seria morte instantânea.

E, por isso, ele fechou os olhos.

Naquela manhã, imediatamente após o alvorecer, Fernão Capelo Gaivota passou como uma bala pelo centro do Bando do Café da Manhã, voando a 340 quilômetros por hora, de olhos fechados, em um alto guincho de vento e penas. A Gaivota da Boa Sorte lhe sorriu e ninguém morreu.

Quando apontou novamente o bico para o céu, ainda podia sentir o corpo queimar com a velocidade de 250 quilômetros por hora. Ao reduzir para 30 e finalmente estender as asas mais uma vez, o barco de pesca era uma migalha de pão no oceano, 1.200 metros abaixo.

Seu pensamento foi de triunfo. Velocidade final! Uma gaivota a 350 quilômetros por hora! Era uma grande façanha, o maior acontecimento de destaque na história do Bando. Nesse momento, uma nova era abriu-se para Fernão Gaivota. Voando para sua isolada área de treinamento, dobrando as asas para um mergulho de 2.500 metros de altitude, preparou-se imediatamente para descobrir como se virar em voo.

Uma única pena na ponta da asa, ele descobriu, movida em uma fração de centímetro, gera uma suave e ampla curva a uma velocidade tremenda. Mas, antes de aprender isso, descobriu que mover mais de uma pena a essa velocidade fazia com que girasse como uma bala de fuzil... e Fernão fez as primeiras acrobacias de uma gaivota neste planeta.

Naquele dia, nenhum tempo lhe sobrou para conversar com outras gaivotas. Ele continuou a voar até depois do pôr do sol. Descobriu o *loop*, o *tonneau* lento, o rolamento de ponta, o parafuso invertido, a folha-seca, a parada de gaivota, a curva fechada.

Ao reunir-se ao Bando na praia, já era noite. Sentia-se tonto e horrivelmente cansado. Ainda assim, de puro deleite, fez um *loop* para pousar com um rolamento rápido antes de tocar o chão. Quando eles souberem disso, pensou, quando souberem da Grande Façanha, vão ficar orgulhosos. Quanta coisa mais há agora para viver! Em vez de nosso monótono voo de ida até os barcos de pesca e de volta, há agora uma razão para viver! Podemos nos erguer da ignorância, podemos nos considerar criaturas exímias, inteligentes, hábeis. Podemos ser livres! *Podemos aprender a voar!*

Os anos futuros cantarolavam e brilhavam, promissores.

As gaivotas haviam sido convocadas para a Reunião do Conselho quando ele pousou. Aparentemente, estavam ali havia algum tempo. Na verdade, à espera.

— Fernão Capelo Gaivota! Ao Centro!

As palavras do Ancião soaram em um tom cerimonioso. Ao Centro significava ou ser coberto de vergonha ou de honrarias. Ao Centro implicava ser humilhado ou engrandecido. Ao Centro da Honra era a maneira de destacar os grandes líderes das gaivotas. Claro, pensou Fernão, o Bando do Café da Manhã, esta manhã, presenciou a Grande Façanha! Mas eu não quero honrarias. Não tenho desejo algum de ser líder. Quero apenas contar o que descobri, mostrar os horizontes abertos para todos nós. Deu um passo à frente.

— Fernão Capelo Gaivota — disse o Ancião. — Ao Centro da Vergonha, à vista de todas as suas companheiras gaivotas!

Aquelas palavras caíram como se fossem uma paulada. Os joelhos de Fernão fraquejaram, as penas arriaram ao longo do corpo, ouviu um rugido nos ouvidos. Ao Centro da Vergonha? Impossível! A Grande Façanha! Eles não conseguem compreender! Eles estão enganados, estão enganados!

— ... por afoita irresponsabilidade — entoou a voz solene —, por violar a dignidade e a tradição da Família das Gaivotas...

Isso implicava que ele seria expulso da família das gaivotas, banido para uma vida solitária nos Penhascos do Fim do Mundo.

— ... um dia, Fernão Capelo Gaivota, aprenderás que irresponsabilidade não leva a lugar nenhum. A vida é o desconhecido e o desconhecível, exceto que fomos postos neste mundo para comer e continuar vivos enquanto for possível.

Uma gaivota jamais responde ao Conselho, mas foi a voz de Fernão que se ergueu:

— Irresponsabilidade? Meus irmãos! — exclamou. — Quem é mais responsável do que uma gaivota que descobre um significado, uma finalidade maior para a vida? Há milhares de anos, vivemos nos engalfinhando por cabeças de peixe, mas agora temos uma razão para viver... para aprender, para descobrir, para ser livres! Deem-me uma oportunidade, deixem que eu lhes mostre o que descobri...

O Bando parecia talhado em pedra.

— A Fraternidade foi rompida — entoaram as gaivotas e, ao mesmo tempo, cerraram os ouvidos e lhe deram as costas.

Fernão Gaivota viveu solitário o resto de seus dias, mas voou para muito além dos Penhascos do Fim do Mundo. Sua única mágoa não era a solidão, e sim que as outras gaivotas se recusassem a acreditar na glória do voo que as esperava. Recusavam-se a abrir os olhos e enxergar.

E ele aprendia mais a cada dia. Aprendeu que um mergulho aerodinâmico em alta velocidade podia ajudá-lo a encontrar o peixe raro e saboroso que nadava em cardumes a 3 metros abaixo da superfície do oceano: não precisava mais de barcos de pesca e de pão dormido para sobreviver.

Aprendeu a dormir no ar, traçando um curso à noite, sustentado pelo vento que soprava ao largo da praia, cobrindo centenas de quilômetros do anoitecer ao amanhecer. Com o mesmo controle interior, voou através de cerrados nevoeiros no mar e subiu acima deles para claros e deslumbrantes céus... nas ocasiões exatas em que todas as outras gaivotas permaneciam em terra, nada vendo senão o nevoeiro e a chuva. Aprendeu a voar na crista dos altos ventos que sopram terra adentro e a jantar delicados insetos.

O que antes fora sua esperança para o Bando nesse momento desfrutava sozinho. Aprendeu a voar e não se arrependeu pelo preço pago. Fernão Gaivota descobriu que o tédio, o medo e a raiva são as razões pelas quais é tão curta a vida das gaivotas, e, com essas limitações longe de seus pensamentos, viveu, na verdade, uma longa vida.

Chegaram à noite e encontraram Fernão planando tranquilo e solitário em seu amado céu. As duas gaivotas que apareceram a seu lado eram puras como a luz das estrelas e delas emanava, no ar noturno das grandes altitudes, um brilho suave e amigo. Mais lindo que tudo, porém, era a perícia com que voavam, as pontas das asas movendo-se a centímetros das dele.

Sem pronunciar palavra, Fernão submeteu-as à prova, a uma prova pela qual nenhuma gaivota jamais passara. Torceu as asas, reduziu a velocidade a um único quilômetro acima do limite mínimo de sustentação. As duas aves radiantes acompanharam-no, suavemente. Sabiam o que era o voo lento.

Fernão dobrou as asas, projetou-se para a frente e mergulhou a 150 quilômetros por hora. Elas mergulharam com ele, riscando o céu de cima a baixo em uma formação impecável.

Por fim, ele embicou para o alto em uma longa espiral vertical. Elas o acompanharam, sorrindo.

Fernão voltou ao voo em plano horizontal e ficou em silêncio durante algum tempo, até que falou:

— Muito bem — disse. — Quem são vocês?

— Nós somos do seu Bando, Fernão. Somos suas irmãs.

— As palavras foram pronunciadas em voz clara e tranquila.

— Viemos para levá-lo mais alto, para levá-lo para casa.

— Não tenho casa. Nem Bando. Sou um Pária. E nós voamos agora no pico do Grande Vento da Montanha. Além de algumas centenas de metros, não posso levar mais alto este velho corpo.

— Mas você pode, Fernão. Porque você aprendeu. Um estudo terminou e chegou a hora de começar outro.

Como havia luzido para ele durante toda a vida, a compreensão iluminou-o naquele momento. Tinham razão. Ele podia voar mais alto e era hora de voltar para casa.

Lançou o último olhar para o outro lado do céu, para a magnífica terra prateada onde tanto aprendera.

— Estou pronto — disse, finalmente.

E Fernão Capelo Gaivota subiu com as duas gaivotas brilhantes como estrelas e desapareceu em um escuro céu perfeito.

Parte 2

Então este é o céu, pensou, e teve de sorrir para si mesmo. Não era muito respeitoso analisar o céu no exato momento em que se subia voando para nele penetrar.

Enquanto se afastava da Terra, acima das nuvens e em formação cerrada com as duas gaivotas brilhantes, notou que o próprio corpo estava tão brilhante quanto o delas. Era verdade, ali estava o mesmo jovem Fernão Gaivota que sempre vivera por trás daqueles olhos dourados, mas a forma externa mudara.

Parecia um corpo de gaivota, mas já voava muito melhor do que o velho corpo jamais fora capaz de fazer. Ora, com metade do esforço, pensou, consigo duas vezes mais velocidade, duas vezes mais desempenho do que nos meus melhores dias na Terra!

As penas brilhavam brancas como a neve, as asas eram lisas e perfeitas como folhas de prata polida. Começou, deliciado, a aprender coisas sobre elas, a injetar força nas novas asas.

A 400 quilômetros por hora achou que estava se aproximando de sua velocidade máxima em voo horizontal. A 450 pensou que estava voando tão rápido quanto podia, e ficou um pouco desapontado. Havia um limite para o que o corpo novo podia fazer, e, embora fosse muito mais rápido do que seu velho recorde de voo em plano horizontal, ainda era um limite que exigiria um grande esforço para ser alcançado. No céu, pensou, não deveria haver limites.

As nuvens se abriram e suas escoltas bradaram:

— Bons pousos, Fernão — e desapareceram no ar rarefeito.

Ele voava nesse momento sobre um mar, em direção a uma costa recortada. Algumas gaivotas aproveitavam as correntes ascendentes nos penhascos. Bem longe, ao norte, no próprio horizonte, voavam outras. Novas vistas, novos pensamentos, novas perguntas. Por que tão poucas gaivotas? O céu devia estar *cheio* delas! E por que fiquei tão cansado, assim tão de repente? Ninguém espera que, no céu, gaivotas se cansem ou durmam. Onde ouvira isso? A lembrança da vida na Terra estava sumindo rápido. A Terra fora um lugar onde muito aprendera, claro, mas os detalhes estavam ficando indistintos — alguma coisa em lutar por comida e em ser um Pária.

A dezena de gaivotas perto da praia veio recebê-lo, sem pronunciar palavra. Ele sentiu apenas que era bem-vindo e que este era o seu lar. Aquele fora um dia muito importante para ele, um dia de cujo amanhecer não mais se lembrava.

Virou-se para pousar na praia, batendo as asas para parar um centímetro no ar e, em seguida, deixar-se cair levemente na areia. As outras gaivotas pousaram também, mas nenhuma delas sequer bateu uma pena. Voaram contra o vento, as asas brilhantes estendidas e, em seguida, de alguma maneira, mudaram a curva das penas até que pararam no mesmo instante que tocaram o solo. Foi uma perfeita exibição de controle, mas Fernão, nesse momento, estava cansado demais para sequer pensar em fazer o mesmo. Em pé ali na praia, sem que nenhuma palavra fosse até então pronunciada, caiu no sono.

Nos dias que se seguiram, descobriu que havia tanta coisa a aprender sobre voo nesse lugar quanto antes, na vida que deixara para trás. Mas com uma diferença. Ali havia gaivotas que pensavam como ele. Para todas elas, a coisa mais importante da vida era abrir as asas e chegar à perfeição naquilo que mais gostavam de fazer: voar. Elas eram aves magníficas e, todos os dias, passavam horas e horas treinando, fazendo continuamente testes de aeronáutica avançada.

Durante muito tempo, Fernão esqueceu o mundo de onde viera, aquele lugar onde vivia o Bando, com os olhos fechados para a alegria de voar, usando as asas como um meio de encontrar comida e de lutar por ela. Mas de vez em quando, apenas por um momento, lembrava-se.

Lembrou-se de certa manhã, quando estava voando com o instrutor, enquanto descansavam na praia após uma sessão de *tonneau* rápido com as asas dobradas.

— Onde está todo mundo, Sullivan? — perguntou, inteiramente à vontade com a telepatia fácil que as gaivotas usavam, em vez de grasnar. — Por que não há mais de nós aqui? Ora, no lugar de onde vim havia...

— ... milhares e milhares de gaivotas, eu sei. — Sullivan balançou a cabeça. — A única resposta que posso dar, Fernão, é que você é uma ave em um milhão. A maioria de nós chegou aqui muito devagar. Passamos de um mundo a outro, que era quase exatamente igual ao anterior, esquecendo imediatamente de onde tínhamos vindo, sem nos importar para onde estávamos indo, vivendo o momento. Você tem ideia de quantas vidas tivemos de viver antes de nos ocorrer a primeira ideia de que há mais na vida do que comer, brigar ou ter poder no Bando? Mil vidas, Fernão, dez mil! E, depois, mais cem vidas até que começamos a aprender que há algo como perfeição, e mais outros cem anos antes de nos ocorrer a ideia de que nossa finalidade em viver é encontrar e ostentar essa perfeição. A mesma regra se aplica agora a nós, claro: escolhemos nosso próximo mundo por meio do que aprendemos neste aqui. Nada aprenda e o próximo mundo será como este, com todas as mesmas limitações e pesos de chumbo para superar.

Estendeu as asas e virou-se para o vento.

— Você, no entanto, Fernão — continuou —, aprendeu tanto de uma única vez que não teve que passar por mil vidas para chegar a esta.

Pouco depois, estavam mais uma vez no ar, treinando. A formação em ponta era difícil porque, na metade reversa, Fernão tinha de pensar de cabeça para baixo, invertendo a curva da asa e fazendo isso em perfeita harmonia com a asa do instrutor.

— Vamos tentar outra vez — Sullivan continuava a repetir.

— Mais uma vez. — E, finalmente: — Ótimo!

E começaram a treinar *loops* invertidos.

Certa noite, as gaivotas que não estavam voando juntaram-se na areia, pensando. Fernão reuniu toda a sua coragem e dirigiu-se à Gaivota Anciã, que, segundo se dizia, em breve deixaria esse mundo.

— Chiang... — disse ele, um pouco nervoso.

A velha gaivota fitou-o bondosamente.

— O que é, meu filho?

Em vez de envelhecido pela idade, o Ancião fora fortalecido pelo tempo. Podia vencer qualquer gaivota do Bando e aprendera perícias que as outras começavam a conhecer.

— Chiang, este mundo não é o céu, é?

O Ancião sorriu à luz da lua.

— Você está aprendendo novamente, Fernão Gaivota — respondeu.

— O que acontece a partir daqui? Para onde nós vamos? Não há esse tal lugar chamado céu?

— Não, Fernão, não há esse tal lugar. O céu não é um lugar e também não é um tempo. O céu é um ser perfeito. — Ficou calado durante alguns segundos. — Você é um voador muito rápido, não?

— Eu... eu gosto da velocidade — disse Fernão, surpreso mas orgulhoso porque o Ancião notara esse fato.

— Você começará a tocar o céu, Fernão, no momento que alcançar a velocidade perfeita. E isso não significa voar a mil quilômetros por hora, ou um milhão, ou à velocidade da luz. Isso porque todo número é um limite, e a perfeição não tem limites. A velocidade perfeita, meu filho, é estar lá.

Sem aviso, Chiang sumiu e reapareceu à beira d'água, a 15 metros, numa fração de segundo. E logo voltou a sumir e apareceu, no mesmo milésimo de segundo, ao lado de Fernão.

— Isto é divertido — disse.

Fernão ficou fascinado. Esqueceu as perguntas sobre o céu.

— Como você faz isso? Qual é a sensação? Até onde se pode ir?

— É possível ir a qualquer lugar e a qualquer tempo que se desejar — respondeu o Ancião. — Fui a todos os lugares e a todas as épocas em que pude pensar. — Olhou para o outro lado do mar. — É estranho. As gaivotas que desprezam a perfeição e se concentram na viagem não vão a lugar algum, devagar. As que esquecem a viagem e se concentram na perfeição vão a qualquer lugar, instantaneamente. Lembre-se, Fernão, o céu não é um lugar e tempo, porque lugar e tempo não têm absolutamente sentido. O céu é...

— Você poderia me ensinar a voar assim?

Só de pensar em conquistar outro desconhecido, Fernão tremia todo.

— Claro, se você quiser aprender.

— Quero. Quando podemos começar?

— Agora mesmo, se desejar.

— Eu quero aprender a voar daquele jeito — disse Fernão, com uma estranha luz brilhando em seus olhos. — Diga o que tenho que fazer.

Chiang falou devagar, observando com bastante atenção a gaivota mais jovem.

— Para voar tão rápido como o pensamento, para ir a todos os lugares que existem — respondeu —, você tem que começar sabendo que já chegou lá...

O macete, de acordo com Chiang, consistia em Fernão deixar de se considerar preso dentro de um corpo limitado, com 1,10 metro de envergadura de asa e um desempenho que poderia ser marcado em uma carta de navegação. O macete era saber que sua verdadeira natureza vivia, tão perfeita como um número não escrito, em toda parte e ao mesmo tempo no espaço e no tempo.

Fernão continuou a treinar, com feroz dedicação, dia após dia, de antes do amanhecer até depois da meia-noite. Mas, a despeito de todo o esforço, não se afastou à largura de uma pena do lugar onde estava.

— Esqueça tudo sobre fé! — repetia sem cessar Chiang. — Você não precisou de fé para voar, precisou compreender o que era voar. É exatamente a mesma coisa. Agora, tente outra vez...

Certo dia, de pé na praia, fechando os olhos, concentrado, de repente Fernão compreendeu o que Chiang lhe dizia.

— É verdade! Sou uma gaivota perfeita, sem limites!

E sentiu uma grande alegria.

— Ótimo! — exclamou Chiang, com um tom de vitória em sua voz.

57

Fernão abriu os olhos. Estava a sós com o Ancião em uma praia completamente diferente... árvores descendo até a beira d'água, sóis amarelos gêmeos girando no alto.

— Finalmente, você captou a ideia — comentou Chiang —, mas você precisa trabalhar seu controle...

Fernão estava atônito.

— Onde nós estamos?

Nada impressionado com o estranho ambiente, o Ancião ignorou a pergunta.

— Estamos em algum planeta, obviamente, com um céu verde e estrelas binárias como sol.

Fernão soltou um grito de deleite, o primeiro som que emitia desde que deixara a Terra.

— A COISA FUNCIONA!

— Ora, claro que funciona, Fernão — retrucou Chiang.

— Funciona sempre que você sabe o que está fazendo. Agora, a respeito do seu controle...

Quando voltaram, já era noite. As outras gaivotas olharam para Fernão, os olhos cheios de respeito, porque o haviam visto desaparecer do lugar onde estivera preso por tanto tempo.

Mas ele só tolerou as congratulações por menos de um minuto.

— Eu sou um novato aqui! Estou apenas começando! Sou eu que tenho que aprender com vocês!

— Tenho dúvidas sobre isso, Fernão — disse Sullivan, ao seu lado. — Você tem menos medo de aprender do que qualquer gaivota que conheci em dez mil anos.

O Bando ficou em silêncio, e Fernão se mexeu, constrangido.

— Podemos começar com o tempo, se você quiser — disse Chiang —, até que você possa voar para o passado e o futuro. Então, você estará pronto para iniciar o voo mais difícil, mais poderoso, mais divertido de todos. Estará pronto para começar a voar para cima e aprender o significado da bondade e do amor.

Passou-se um mês, ou perto disso, e Fernão aprendia num ritmo vertiginoso. Ele sempre aprendera rápido com a própria experiência e, nesse momento, aluno particular do Ancião, assimilava novas ideias como se fosse um computador aerodinâmico de asas.

Mas chegou um dia em que Chiang desapareceu. Estivera conversando tranquilamente com todos eles, exortando-os a nunca deixar de aprender, de treinar e de esforçar-se para compreender mais o princípio invisível e perfeito de toda vida. Mas, enquanto falava, suas penas se tornaram mais brilhantes, cada vez mais brilhantes, e, finalmente, tão brilhantes que nenhuma gaivota pôde mais olhar para ele.

— Fernão — disse, e essas foram as últimas palavras que pronunciou —, continue a trabalhar no amor.

Quando conseguiram enxergar novamente, Chiang havia desaparecido.

Com o passar dos dias, Fernão descobriu que pensava cada vez mais na Terra de onde viera. Se lá tivesse sabido apenas um décimo, um centésimo do que sabia aqui, o quanto mais a vida teria significado! Ali, de pé na areia, começou a pensar se lá havia uma gaivota que poderia estar lutando para libertar-se de seus limites, para ver o significado do voo além de uma maneira de se deslocar e de pegar um pedaço de pão atirado de um barco. Talvez pudesse ter havido uma que se tornou um Pária por ter dito a verdade diante do Bando. E quanto mais praticava as lições de bondade, e mais trabalhava para compreender a natureza do amor, mais queria voltar à Terra. Isso porque, a despeito do passado solitário, Fernão Gaivota nascera para tornar-se um instrutor, e sua maneira de demonstrar amor era doar um pouco da verdade que conhecera a uma gaivota que pedia apenas a oportunidade de vê-la por si mesma.

Sullivan, agora perito em voo à velocidade do pensamento e que ajudava os outros a aprender, ficou em dúvida.

— Fernão, você foi Pária antes. Por que pensa que qualquer uma das gaivotas de seu velho tempo lhe daria ouvidos agora? Você conhece o provérbio, e ele é a pura verdade: *Vê mais longe a gaivota que voa mais alto*. As gaivotas do lugar de onde você veio estão em pé na areia, grasnando e lutando umas com as outras. Estão a milhares de quilômetros do céu, e você diz que lhes quer mostrar o céu, dali de onde elas estão! Fernão, elas não conseguem ver as pontas das próprias asas! Fique aqui, ajude as novas gaivotas daqui, as que voam alto o bastante para compreender o que você lhes diz. — Calou-se por um tempo e disse em seguida: — E se Chiang tivesse voltado ao velho mundo *dele*? Onde você estaria hoje?

Este último argumento era poderoso, e Sullivan tinha razão. *Vê mais longe a gaivota que voa mais alto.*

Fernão permaneceu onde estava e trabalhou com as aves recém-chegadas, todas elas muito inteligentes e rápidas em aprender as lições. O velho sentimento, porém, insistia em voltar e ele não podia deixar de pensar que, talvez, houvesse lá na Terra uma ou duas gaivotas que poderiam também aprender. O quanto mais ele saberia, se Chiang lhe tivesse aparecido no dia em que foi condenado a ser um Pária!

— Sully, tenho que voltar — disse por fim. — Seus alunos estão indo muito bem. Eles podem ajudá-lo a dar conta das recém-chegadas.

Sullivan suspirou, mas não discutiu.

— Acho que vou sentir falta de você, Fernão — foi tudo o que disse.

— Sully, que vergonha! — disse Fernão. — E não seja tolo! O que estamos tentando praticar todos os dias? Se nossa amizade depender de coisas como espaço e tempo, então, quando dominarmos os dois, teremos destruído nossa fraternidade! Mas, supere o espaço e tudo que nos sobra é o Aqui. Supere o tempo, e tudo que nos resta é o Agora. E entre o Aqui e o Agora, você não acha que a gente pode se ver de vez em quando?

Sullivan Gaivota riu, sem querer.

— Seu pássaro maluco! — disse bondosamente. — Se alguém pode mostrar a qualquer ser na Terra como ver a mil quilômetros de distância, este alguém será Fernão Capelo Gaivota. — Olhou para a areia entre os pés. — Adeus, Fernão, meu amigo.

— Adeus, Sully. A gente se vê.

Com essas palavras, Fernão lembrou dos grandes bandos de gaivotas na praia de outro tempo e teve certeza, com tranquilidade, que ele não era apenas ossos e penas, e sim uma ideia perfeita de liberdade e voo, sem nenhum limite.

Francisco Coutinho Gaivota era ainda muito novo, mas já sabia que nenhuma ave jamais fora tratada com tanta dureza por qualquer Bando, nem com tanta injustiça.

— Não me importo com o que eles dizem — pensou, furioso, e sua visão escureceu enquanto voava para os Penhascos do Fim do Mundo. — Há tanta coisa mais no voo do que simplesmente bater asas de um lugar para outro! Um... um... *mosquito* faz isso! Apenas um único *tonneau* em volta da Gaivota Anciã, apenas para me divertir, e sou um Pária! Será que eles estão cegos? Não conseguem enxergar nada? Será que não pensam na glória, quando aprendemos realmente a voar? Não me importo com o que pensem. Vou mostrar a eles o que é voar! Vou ser um puro Pária, se é isso que eles querem que eu seja. E vou fazer com que se arrependam...

A voz se manifestou dentro da cabeça dele, e mesmo que seu tom fosse suave, deu-lhe um susto. Tanto que vacilou e se desequilibrou no ar.

— Não seja duro com eles, Francisco Gaivota. Ao expulsá-lo, as outras gaivotas apenas fizeram mal a si mesmas, e, um dia, elas reconhecerão isso, e, um dia, verão o que você vê. Perdoe-lhes e ajude-as a compreender.

A uns 2,5 centímetros da ponta de sua asa direita voava a gaivota branca mais brilhante do mundo, planando sem esforço no que era quase a velocidade máxima de Francisco.

A jovem ave teve um momento de total confusão.

— O que está acontecendo? Estou louco? Estou morto?

Baixa e calma, a voz continuou no pensamento de Francisco, exigindo uma resposta:

— Francisco Coutinho Gaivota, você quer voar?

— QUERO, QUERO VOAR!

— Francisco Coutinho Gaivota, você quer voar tanto que esquecerá o Bando, aprenderá, e voltará um dia e trabalhará para ajudá-los a conhecer a verdade?

Não havia como mentir àquele ser magnífico e hábil, por mais que Francisco Gaivota fosse uma ave orgulhosa e estivesse magoado.

— Quero — respondeu, baixinho.

— Neste caso, Francisco — disse a brilhante criatura, e sua voz era muito bondosa —, vamos começar com Voo em Plano Horizontal...

Parte 3

Fernão descreveu lentos círculos sobre os Penhascos do Fim do Mundo, só observando. Esse jovem Francisco Gaivota era um aluno de voo quase perfeito. Era forte, leve e rápido no ar, e, mais importante que tudo, tinha o desejo ardente de aprender a voar.

Lá vinha ele nesse minuto, uma forma cinzenta indistinta saindo de um mergulho, passando como um relâmpago a 240 quilômetros por hora pelo instrutor. Iniciou bruscamente outra tentativa de rolamento vertical, contando de um a dezesseis em voz alta:

...oito... nove... dez... está-vendo-Fernão-estou-saindo-da-velocidade-relativa-do-ar... onze... quero-fazer-paradas-bruscas--como-as-suas... doze... mas-droga-não-consigo... treze... este finalzinho... sem... quatorze... aaakk!

A perda de altura de Francisco, em seguida à picada, foi ainda pior por causa de sua raiva e fúria por estar caindo. Caiu para trás, perdeu o equilíbrio, bateu selvagemente as asas, entrou em parafuso invertido e recuperou-se no fim, botando os bofes pela boca, a cerca de 30 metros abaixo do nível do instrutor.

— Você está perdendo seu tempo comigo, Fernão! Eu sou burro demais! Sou fraco demais! Tento, tento, mas não vou conseguir nunca!

Fernão Gaivota olhou para ele ali embaixo e inclinou a cabeça.

— Você não vai mesmo conseguir, enquanto procurar sair com força demais da picada. Francisco, você perdeu 65 quilômetros por hora na reentrada! Você tem que fazer isso com suavidade! Firme, mas suave, lembra-se?

Baixou para o nível da gaivota mais jovem.

— Vamos tentar juntos agora, em formação. E preste atenção à saída da picada. É uma reentrada suave, fácil.

Ao fim de três meses, Fernão tinha seis outros alunos. Párias, todos eles, mas, ainda assim, curiosos sobre essa nova e estranha ideia de voar pela alegria de voar.

Ainda assim, para eles era mais fácil treinar para melhorar o desempenho do que entender a razão por trás de tudo isso.

— Todos nós somos, na verdade, uma ideia da Grande Gaivota, uma ideia ilimitada de liberdade — dizia Fernão à noite na praia —, e voo de precisão é um passo para expressar nossa verdadeira natureza. Tudo que nos limita tem que ser afastado. É esse o motivo de todo esse treinamento em alta velocidade, em baixa, das acrobacias...

... e os estudantes caíam no sono, exaustos dos voos do dia. Eles gostavam do treinamento, porque era rápido e emocionante e saciava uma fome de aprender que crescia a cada lição. Mas nenhum deles, nem mesmo Francisco Coutinho Gaivota, viera a acreditar que o voo de ideias poderia ser possivelmente tão real quanto o voo do vento e das penas.

— O corpo, de uma ponta de asa a outra — dizia Fernão algumas vezes —, nada mais é do que o próprio pensamento, em uma forma em que podem vê-lo. Quebrem as cadeias do pensamento e rompam as cadeias do corpo, também...

Mas não importava a forma como ele explicava. Tudo soava como canção de ninar, e eles precisavam dormir mais.

Mas só um mês depois é que Fernão disse que chegara a hora de voltar ao Bando.

— Nós não estamos prontos — protestou João Calvino Gaivota. — Não seremos bem-vindos! Nós somos Párias! Não podemos nos obrigar a ir a um lugar onde não seremos bem recebidos, podemos?

— Temos liberdade para ir aonde quisermos e ser o que somos — respondeu Fernão.

Levantou voo da areia e tomou a direção leste, para as terras natais do Bando.

Houve um momento de angústia entre os alunos, porque a Lei do Bando é que um Pária jamais poderá voltar, lei esta que não foi infringida em dez mil anos. A lei dizia: fiquem onde estão. Fernão dizia para ir e, a essa altura, já estava a 1,5 quilômetro de distância sobre as águas. Se esperassem demais, ele chegaria sozinho a um Bando hostil.

— Bem, nós não temos que cumprir a lei se não somos parte do Bando, temos? — questionou Francisco, muito constrangido.

— Além do mais, se houver briga, ajudaremos muito mais do que se ficarmos aqui.

E assim, naquela manhã, voaram procedentes do oeste, oito deles, em formação de duplo losango, pontas de asas quase se tocando. Chegaram à Praia do Conselho do Bando a uma velocidade de 215 quilômetros por hora, Fernão à frente, Francisco voando tranquilamente à sua direita, João Calvino manquejando como podia à esquerda. Em seguida, toda a formação guinou lentamente para a direita, como se fosse uma ave só... na horizontal... passando... para voo invertido... para... o nível plano, o vento fustigando-os.

Guinchos e grasnidos da vida diária do Bando foram cortados como se a formação fosse uma faca gigantesca, e oito mil olhos de gaivotas fitaram-nos sem uma única piscadela. Uma após outra, as oito aves alçaram voo verticalmente, entrando em um *loop* completo, e voaram em círculos até um pouso lento e final na areia. Em seguida, como se esse tipo de coisa acontecesse todos os dias, Fernão Gaivota iniciou a avaliação do voo.

— Para começar — disse, com um sorriso irônico —, vocês foram um pouco lentos ao entrarem em formação...

A compreensão do que estava acontecendo atingiu o Bando como se fosse um raio. Aqueles pássaros eram Párias! E eles voltaram! E isso... isso não pode acontecer! Os prognósticos de Francisco sobre uma briga desfizeram-se na confusão.

— Bem, certo, OK, eles são Párias — disse uma das gaivotas mais jovens —, mas, ei, caras, como foi que eles aprenderam a voar desse jeito?

Levou quase uma hora para que a Palavra do Ancião passasse por todo o Bando: Ignore-os. A gaivota que falar com um Pária se tornará também Pária. A gaivota que olhar para um Pária transgride a Lei do Bando.

Daí em diante, costas de penas cinzentas voltaram-se para Fernão, que, aparentemente, nem notou. Continuou com as aulas bem acima da Praia do Conselho e, pela primeira vez, começou a "puxar" pelos alunos, pressionando-os a ir até o limite de sua capacidade.

— Martinho Gaivota! — gritou, do outro lado do céu. — Você disse que sabe voar em baixa velocidade. Você não sabe de nada, até que prove isso! VOE!

E foi assim que o pequenino e manso Martinho Gaivota, atordoado por estar sob a mira do instrutor, surpreendeu a si mesmo e tornou-se o mago das baixas velocidades. Na mais leve das brisas, ele podia curvar as penas para subir sem um único bater de asas, da areia para as nuvens, e de volta.

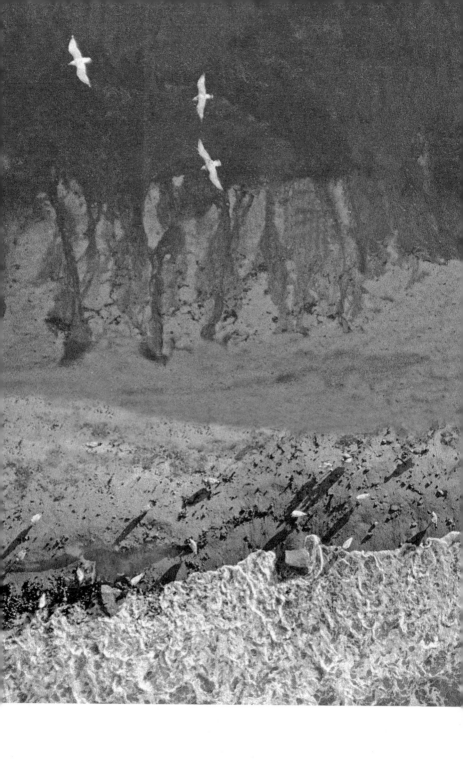

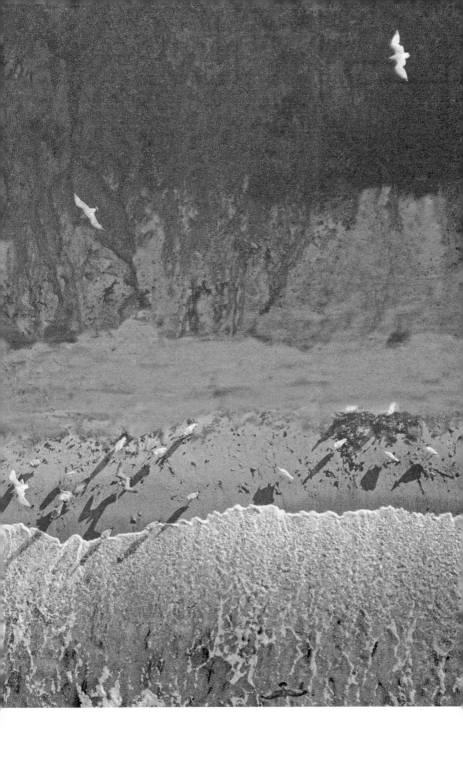

De igual maneira, Rolando Gaivota galgou o Grande Vento da Montanha, subiu a 5 mil metros e desceu azul do frio do ar rarefeito daquela altitude, atônito e feliz, e decidido a subir ainda mais alto no dia seguinte.

Francisco Gaivota, que amava acrobacias mais do que qualquer outro, dominou a rolagem vertical lenta contando de um a dezesseis, e, no dia seguinte, ultrapassou a marca com um leque triplo, as penas relampejando luz branca na direção da praia, da qual mais de um olho furtivo o observava.

Em todas as horas, Fernão estava ali, ao lado dos alunos, demonstrando, sugerindo, pressionando, orientando. Voou com eles através da noite, das nuvens e da tempestade, pelo puro prazer de voar, enquanto o Bando, infeliz, agachava-se.

Terminados os voos, os alunos relaxavam na areia e, com o passar do tempo, escutavam Fernão com mais atenção. Ele tinha umas ideias malucas que não podiam compreender, mas também algumas boas, que compreendiam muito bem.

Aos poucos, à noite, outro círculo formou-se em volta do círculo dos alunos — gaivotas curiosas que, na escuridão, ficavam escutando durante horas seguidas, não desejando ver outras nem serem vistas por outras, e sumindo antes do amanhecer.

Um mês após o Retorno, a primeira gaivota do Bando cruzou a linha e pediu para aprender a voar. Teseu Souza Gaivota tornou-se um pássaro condenado, rotulado de Pária e o oitavo aluno de Fernão.

Na noite seguinte, Virgílio Gaivota deixou o Bando, veio rebolando pela areia, puxando a asa esquerda, e caiu aos pés de Fernão.

— Ajude-me — disse em voz muito baixa, falando da maneira como falam os moribundos. — Eu quero voar mais do que qualquer outra coisa no mundo.

— Venha, então — respondeu Fernão. — Suba comigo, para longe do chão, e começaremos.

— Você não entende. Minha asa. Não posso mover minha asa.

— Virgílio Gaivota, você tem liberdade de ser você mesmo, seu verdadeiro ser, aqui e agora, e nada pode detê-lo. Esta é a Lei da Grande Gaivota, a Lei que É.

— Você está dizendo que eu posso voar?

— Eu digo que você é livre.

Tão simples e rápido como essas palavras, Virgílio Gaivota abriu as asas, sem esforço, e ergueu-se no ar noturno. O Bando, adormecido, foi acordado por seu grito, tão alto quanto ele pôde articulá-lo, de 150 metros de altura.

— Eu posso *voar! Escutem!* EU POSSO VOAR!

Ao amanhecer, havia quase mil aves em volta do círculo de alunos, olhando curiosas para Virgílio. Pouco importava se fossem vistas ou não, e ficaram escutando, tentando compreender Fernão Gaivota.

E ele falou de coisas muito simples — que é certo para uma gaivota voar, que liberdade é a própria natureza de seu ser, que tudo que dificulte essa liberdade deve ser posto de lado, seja ritual, superstição ou limitação sob qualquer forma.

— Posto de lado — disse uma voz na multidão —, mesmo que seja a Lei do Bando?

— A única verdadeira lei é a que leva à liberdade — respondeu Fernão. — Não há outra.

— Como você espera que a gente voe como você? — perguntou outra voz. — Você é especial, talentoso, divino, melhor que as outras aves.

— Olhem para Francisco! Teseu! Rolando! Judy Lee! Eles são também especiais, talentosos, divinos? Não mais que vocês, não mais que eu. A única diferença é que eles começaram a compreender o que realmente são e a praticar isso.

Os alunos, menos Francisco, mexeram-se constrangidos. Não haviam compreendido que era isso que eles mesmos vinham fazendo.

A multidão aumentava todos os dias e vinha questionar, idolatrar, escarnecer.

— Estão dizendo no Bando que, se você não é o filho da Própria Grande Gaivota — disse Francisco a Fernão certa manhã, após o Treinamento de Velocidade Avançada —, então está mil anos à frente de seu tempo.

Fernão soltou um suspiro. O preço de ser mal interpretado, pensou. Chamam-nos de demônio ou de deus.

— O que você acha, Francisco? Estamos à frente de nosso tempo?

Seguiu-se um longo silêncio.

— Bem, esse tipo de voo sempre existiu, à espera de ser aprendido por todos os que quisessem descobri-lo. Não tem nada a ver com tempo. Estamos à frente da moda, talvez. À frente da maneira como voa a maioria das gaivotas.

— Isso é alguma coisa — concordou Fernão, rolando para voar de cabeça para baixo durante algum tempo. — Não é nem metade tão ruim quanto estar à frente de nosso tempo.

Aconteceu apenas uma semana depois. Francisco estava demonstrando as bases do voo em alta velocidade a uma turma de novos alunos. Acabara justamente de sair de uma picada de 2 mil metros, uma longa risca parda passando como uma bala a poucos centímetros da praia, quando uma jovem ave, em seu primeiro voo, entrou planando diretamente em sua trajetória, gritando para a mãe. Com um décimo de segundo para evitar o jovem, Francisco Coutinho Gaivota guinou fortemente para a esquerda, a cerca de 320 quilômetros por hora, e chocou-se com um penhasco de granito maciço.

Para ele, aquela rocha foi como uma gigantesca e dura porta para outro mundo. Uma explosão de medo, choque e escuridão quando bateu, e, em seguida, estava planando em um céu estranho, estranho, esquecendo, lembrando, esquecendo, com medo, triste, arrependido, horrivelmente arrependido.

A voz lhe chegou como naquele primeiro dia em que conhecera Fernão Capelo Gaivota.

— O problema, Francisco, é que estamos tentando superar nossas limitações de forma ordenada, pacientemente. Não tentamos voar através da rocha.

— Fernão!

— Conhecido também como O Filho da Grande Gaivota! — retrucou secamente o instrutor.

— O que você está fazendo aqui? O penhasco? Eu não... eu não... morri?

— Oh, Francisco, deixe disso. Pense. Se você está conversando comigo agora, então, obviamente, não morreu, certo? O que conseguiu fazer foi mudar seu nível de consciência, mas de um modo um tanto abrupto. A opção agora é sua. Você pode ficar aqui e aprender neste nível, que é muito mais alto que aquele que deixou, a propósito, ou pode voltar e continuar a trabalhar com o Bando. Os Anciãos esperavam que fosse acontecer algum tipo de desastre, mas ficaram espantados com a sua destreza.

— Eu quero voltar para o Bando, claro. Eu mal comecei com o novo grupo!

— Muito bem, Francisco. Lembre-se do que dissemos sobre nosso corpo, que nada mais é do que o próprio pensamento...

Francisco balançou a cabeça, estendeu as asas e abriu os olhos no sopé do penhasco, no centro do Bando, ali reunido. Subiu da multidão um grande clamor de grasnidos, quando ele se mexeu.

— Ele está vivo! Aquele que estava morto *vive*!

— Tocou-o com a ponta da asa! Trouxe-o de volta à vida! O Filho da Grande Gaivota!

— Não! Ele nega isso! Ele é um demônio! DEMÔNIO! Veio para destruir o Bando!

Havia quatro mil gaivotas naquela multidão, assustadas com o que acontecera, e o grito DEMÔNIO! passou por elas como o vento de uma tormenta oceânica. Olhos vidrados e bicos fechados aproximaram-se para matar.

— Você se sentiria melhor se fôssemos embora, Francisco? — perguntou Fernão.

— Eu certamente não me oporia se nós...

No mesmo instante, estavam juntos a uns 800 metros de distância, e os bicos reluzentes da turba fecharam-se sobre o vazio.

— Por que — especulou Fernão, confuso — a coisa mais difícil do mundo é convencer um pássaro de que ele é livre, e que pode provar isso a si mesmo, se apenas passar um pouco de tempo treinando?! Por que isso tem que ser tão difícil?

Francisco ainda piscava com a mudança de cena.

— O que foi que você acabou de fazer? Como foi que chegamos aqui?

— Você não disse que queria livrar-se daquela multidão?

— Disse! Mas como foi que você...

— Como tudo o mais, Francisco. Pratique.

Pela manhã, o Bando esquecera aquele ataque de insanidade, mas não Francisco.

— Fernão, lembra-se do que eu lhe disse há muito tempo sobre amar o Bando o suficiente para voltar e ajudá-lo a aprender?

— Claro.

— Eu não entendo como você consegue amar um grupo de pássaros que há pouco tentava matá-lo.

— Oh, Francisco, a gente não ama isso! A gente não ama ódio e maldade, claro. A gente tem que praticar e ver a gaivota autêntica, o bem em todas elas, e ajudá-las a vê-lo em si mesmas. Foi isso o que eu quis dizer com amor. E é divertido quando a gente pega o jeito da coisa.

— Eu me lembro de um pássaro jovem e feroz, Francisco Coutinho Gaivota, era o nome dele. Acabara de ser declarado Pária, estava pronto para enfrentar o Bando até a morte, prestes a começar uma vida infernal nos Penhascos do Fim do Mundo. E aqui está ele hoje, construindo seu paraíso particular e liderando o Bando inteiro na mesma direção.

Francisco virou-se para o instrutor e, por um momento, o medo luziu-lhe nos olhos.

— *Eu*, liderando? O que você quer dizer com isso, eu liderando? O instrutor aqui é você. Você não pode ir embora!

— Não posso? Você não acha que há outros bandos, outros Franciscos, que precisam mais de um instrutor do que este, que já está a caminho da luz?

— Eu? Fernão, eu sou uma gaivota comum, e você é...

— ... o Filho único da Grande Gaivota, acho? — Fernão suspirou e olhou para o mar. — Vocês não precisam mais de mim aqui. Você precisa continuar a descobrir a si mesmo, um pouco mais todos os dias, o Francisco Gaivota real, ilimitado. Ele é o seu instrutor. Você precisa compreendê-lo e submetê-lo a treinamento.

Um momento depois, o corpo de Fernão tremeu no ar, tremeluzindo, e começou a ficar transparente.

— Não deixe que eles espalhem boatos tolos a meu respeito ou que me transformem em um deus. OK, Francisco? Eu sou uma gaivota. Eu gosto de voar, talvez...

— *FERNÃO!*

— Pobre Francisco. Não acredite no que os olhos lhe dizem. Tudo que eles mostram é limitação. Olhe com compreensão, descubra o que já sabe e descobrirá a maneira de voar.

O tremeluzir parou. Fernão Gaivota havia desaparecido no ar.

Após algum tempo, Francisco Gaivota subiu para o céu e voltou-se para um grupo novinho em folha de alunos, prontos para receber a primeira lição.

— Para começar — disse ele, severamente —, vocês têm que compreender que uma gaivota é uma ideia ilimitada de liberdade, uma imagem da Grande Gaivota, e todo o corpo, de uma ponta de asa a outra, nada mais é que seu próprio pensamento.

As jovens gaivotas fitaram-no, curiosas. Ei, cara, pensaram, isso não parece uma regra para fazer um *loop*.

Francisco suspirou e voltou a falar:

— Humm... Ah... muito bem — disse e examinou-os criticamente. — Vamos começar com o Voo em Plano Horizontal.

E, ao dizer isso, compreendeu de repente que seu amigo, honestamente, não fora mais divino do que ele mesmo.

Nenhum limite, Fernão?, pensou. Bem, neste caso, não está distante a hora que vou aparecer, saindo do ar rarefeito, em *sua* praia e lhe ensinar uma ou duas coisas sobre voar!

E, embora tentasse assumir uma aparência severa para impressionar os estudantes, Francisco Gaivota viu-os de repente, todos eles, como eles realmente eram, apenas por um momento, e mais do que gostou, amou de paixão o que viu. Nenhum limite, Fernão?, pensou, e sorriu. Sua corrida para aprender havia começado.

Parte 4

Por alguns anos,
depois que Fernão Gaivota foi embora das praias do Bando, não havia sobre a Terra um grupo de aves mais esquisito que aquele. Na verdade, muitas delas tinham começado a compreender o que ele dizia, e era tão comum ver uma gaivota jovem voando de cabeça para baixo e praticando *loops* quanto uma ave mais velha se recusando a abrir os olhos à glória de voar, furando o ar em linha reta, nivelada aos barcos pesqueiros, na esperança de bicar uma migalha de pão empapado para o jantar.

Francisco Coutinho Gaivota e os outros alunos de Fernão partiram em jornadas missionárias, propagando as lições de liberdade e técnicas de voo de seu instrutor por todos os bandos espalhados ao longo do litoral.

Eventos extraordinários aconteceram naqueles dias. Os alunos de Francisco e os alunos desses alunos voavam com perfeição, e num estado de felicidade tamanha que nunca ninguém tinha visto antes. Lá e cá, aves isoladas faziam durante os treinos manobras acrobáticas que eram melhores do que as do Francisco e, às vezes, as do próprio Fernão. A curva de aprendizagem de uma gaivota altamente motivada ultrapassava o topo de qualquer gráfico, e vez por outra havia alunos que superavam os limites com tanta perfeição, que desapareciam da face de uma terra muito limitada para abrigá-los. Como havia acontecido com Fernão.

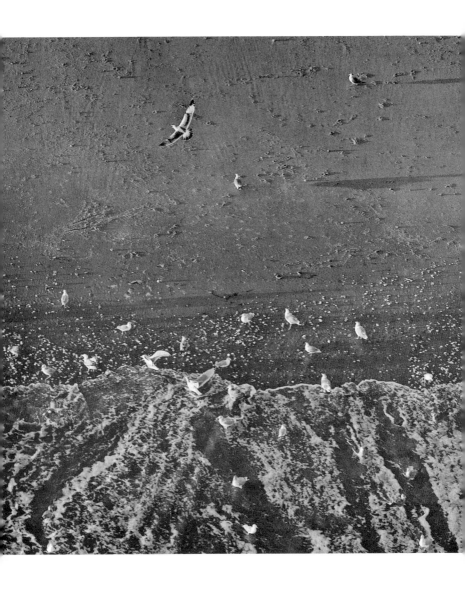

Foi uma época de ouro, durante um tempo. Bandos de gaivotas abriam caminho à força até Francisco com o intuito de tocar aquele que tocara em Fernão Capelo Gaivota, uma ave que passaram a considerar divina. De nada adiantou a insistência de Francisco, repetindo sem parar que Fernão tinha sido uma gaivota igual a todas as outras, que aprendera da mesma forma como todas poderiam aprender. Elas ficavam atrás dele o tempo todo para saber as palavras exatas de Fernão, conhecer seus mínimos gestos e descobrir os ínfimos detalhes da vida dele. Quanto mais imploravam por essas informações, mais Francisco Gaivota ficava preocupado. Houve um tempo em que as aves se interessavam em praticar a mensagem... treinar... voar mais rápido e mais livres e mais gloriosas no céu... Agora, porém, arranjavam um jeito de driblar o trabalho árduo, voltando os olhos levemente esbugalhados para as lendas em torno de Fernão, como se ele fosse o ídolo de um fã-clube.

— Senhor Francisco — indagavam —, o Magnífico Fernão disse: "Todos nós somos, na verdade, uma ideia da Grande Gaivota..." ou "Todos nós somos, de *fato*, uma ideia da Grande Gaivota...?"

— Por favor! Me chamem de Francisco. Apenas Francisco Gaivota — retrucava, chocado por ser tratado com tanta reverência. — E que diferença faz se ele usou uma ou outra palavra? As duas estão corretas: somos uma ideia da Grande

Gaivota... — Mas dava para perceber que as aves não ficavam satisfeitas com as respostas e achavam que ele se esquivava das perguntas.

— Francisco Gaivota, quando o Divino Fernão Gaivota alçava voo, ele dava um passo em direção ao vento... ou dois?

Antes que ele tivesse chance de responder à pergunta, era bombardeado por outra.

— Francisco Gaivota, o Sagrado Fernão Gaivota tinha olhos acinzentados ou olhos dourados? — A ave curiosa tinha olhos cinzentos e, é claro, sonhava com esta resposta.

— Não sei! Esqueça os olhos dele! Ele tinha... olhos roxos! E que importância isso tem? O que ele veio nos dizer foi que podemos *voar*, se conseguirmos despertar deste torpor e parar de ficar vagando na praia, discutindo a cor dos olhos de alguém! Agora, atenção! Vou mostrar como se faz uma curva fechada.

Porém, achando cansativo praticar a difícil rotação completa, mais de uma gaivota voava para casa falando consigo mesma: "O Grande dos Grandes tinha olhos roxos... não como os meus nem como os olhos de nenhuma gaivota que viveu neste mundo...".

Com o passar dos anos, as aulas sofreram transformações: de extensos e sublimes poemas em pleno voo para comentários sussurrados aos ouvidos antes e depois dos treinos sobre os hábitos de Fernão e declamações intermináveis e difíceis de entender sobre o Grande Divino na areia. Nenhum voo jamais foi tentado por uma única ave.

Francisco e os outros alunos de Fernão, cada um por sua vez, ficavam ora perplexos, ora firmes e convictos, e furiosos com essa transformação, embora se sentissem incapazes de impedi-la. Eles eram homenageados e, pior ainda, venerados; contudo, as aves não lhes davam mais ouvidos, e um número cada vez menor praticava o voo.

Aos poucos, os Primeiros Alunos foram morrendo, deixando para trás corpos inertes e gelados. O Bando, depois de confiscar os cadáveres, se reunia em torno deles e realizava grandes cerimônias fúnebres em que todos choravam, enterrando-os sob camadas de cascalhos. Toda vez que uma pedrinha miúda era depositada sobre a outra, ouvia--se um sermão arrastado e lacrimoso pronunciado por uma ave mortalmente soturna. Os montes de cascalhos viraram santuários, e passou a ser exigido de cada gaivota que almejasse a Essência, o ritual de depositar uma lasquinha e, na passagem, de proferir algumas palavras pesarosas. Ninguém sabia o que era a Essência; contudo, acreditava-se ser uma coisa tão séria que nenhuma gaivota se atreveria a perguntar nada a respeito, por receio de ser considerada burra. Afinal, todo mundo sabe o que é Essência!

E quanto mais bonito fosse o cascalho depositado no túmulo de Martinho Gaivota, maiores as chances de alcançá-la.

Francisco foi o último a morrer. Aconteceu durante uma longa e solitária sessão do mais puro e mais belo voo que ele já fizera. O corpo dele evaporou-se no meio de um rolamento vertical longo e lento, algo que ele praticava desde a primeira vez que voara com Fernão Gaivota. Quando ele sumiu, não estava depositando cascalho nem refletindo sobre a Essência. Nada disso! Deliciava-se com a perfeição do próprio voo.

Quando Francisco não apareceu na praia na semana seguinte, quando sumiu sem qualquer aviso, o Bando entrou em estado de choque.

Mas depois se reuniram, discutiram e chegaram à conclusão sobre o que provavelmente acontecera. Foi dito que Francisco Gaivota havia sido visto rodeado pelos Sete Primeiros Alunos, em pé sobre aquela que a partir daquele momento viria a ser chamada Rocha da Essência. Então nuvens se abriram, e o próprio Grande Gaivota, Fernão Capelo Gaivota, envolto em plumas reais e conchas de ouro, com uma coroa de cascalhos preciosos na cabeça, apontando simbolicamente para céu e mar, vento e terra, o chamara para a Praia da Essência. Francisco levantou-se como num passe de mágica, cercado por divinos raios dourados, e então nuvens voltaram a se fechar ao som de um monumental coro de vozes de gaivotas.

E foi assim que a pilha de cascalhos na Rocha da Essência, em sagrada memória a Francisco Gaivota, se transformou no maior monte de pedrinhas do litoral de qualquer lugar na Terra. Outras réplicas da Rocha da Essência foram erigidas por todos os lados. Todas as tardes de terça-feira o Bando caminhava até o santuário e formava círculos para ouvir os milagres de Fernão Capelo Gaivota e de seus Divinos Alunos Talentosos. Ave nenhuma levantava voo, a não ser que fosse mesmo necessário, e nesses casos foram inventadas regras bem incomuns. Como sinal de prestígio, as aves mais prósperas começaram a carregar ramos de árvores em seus bicos. Quanto mais pesado o ramo, mais atenção a gaivota recebia do Bando. Quanto maior o ramo, mais avançada nas técnicas de voo ela era considerada.

Poucas gaivotas perceberam que, por suportarem o peso e a resistência do ar ao carregar os ramos de um lado para o outro, as gaivotas mais devotas foram dominando um estilo de voo que chamava atenção pela excentricidade.

O símbolo dos ensinamentos de Fernão passou a ser um cascalho liso. Depois de um tempo, porém, qualquer pedra velha servia. Era o pior símbolo possível para uma ave que tinha retornado para ensinar a alegria de voar; mas ninguém parecia perceber isso; pelo menos, ninguém que tivesse importância para o Bando.

Às terças-feiras, todos os voos haviam sido suspensos para que uma multidão apática se reunisse a fim de escutar o Representante dos Alunos recitar. Em questão de poucos anos, a recitação foi sofrendo uma estratificação e acabou virando um mantra tão rígido quanto granito. "Ó-Grande-Gaivota-Fernão--Gaivota-tenha-dó-de-nós-aqui-que-valemos-bem-menos-que--um-tatuí." E repetiam e repetiam por horas, às terças-feiras. Era sinal da excelência do Representante impor aos sons o ritmo mais rápido possível, para que não fossem entendidas apenas como palavras. Algumas aves insolentes sussurravam que aqueles sons nada significavam, ainda que alguém conseguisse, em dado instante, decifrar uma ou duas palavras ali encontradas.

Estátuas de Fernão, esculpidas com um sem-número de bicadas em blocos de arenito, com olhos grandes e expressão tristonha acentuada por conchas roxas, foram espalhadas ao longo da costa em cada pilha de cascalho e também nas suas réplicas, concentrações de um culto mais forte até do que o simbolismo das rochas.

Em menos de duas centenas de anos, praticamente todos os elementos das lições de Fernão foram subtraídos da prática diária simplesmente por serem considerados sagrados e, portanto, muito além das aspirações das gaivotas normais, que valiam menos-que-um-tatuí.

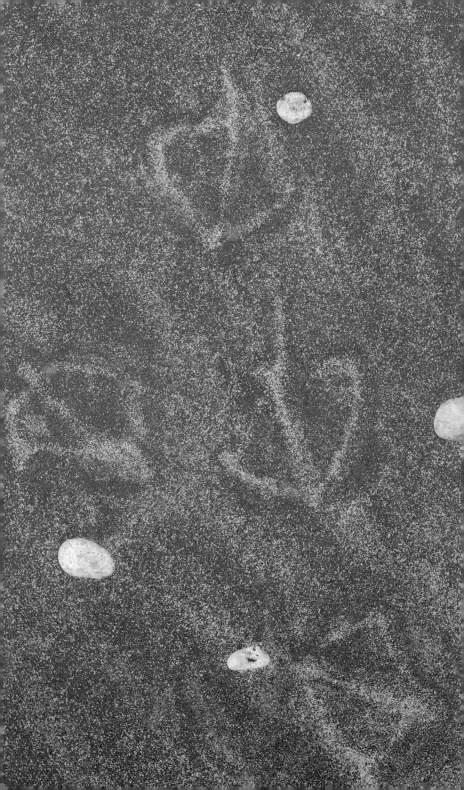

Com o tempo, os rituais e as rezas que tinham sido estabelecidos em torno do nome de Fernão Gaivota tornaram-se uma obsessão. Qualquer gaivota pensante alterava sua rota no ar de modo a não voar de onde se avistassem os montes de cascalhos, que foram erguidos por causa do apego ao formalismo e às superstições daqueles que preferiam ir atrás de desculpas para o fracasso em vez de trabalhar árduo para atingir a excelência. As gaivotas pensantes, paradoxalmente, bloqueavam suas mentes ao som de certas palavras: "Voar", "Pilhas de Cascalho", "Grande Gaivota", "Fernão". Nos demais assuntos, eram as aves mais lúcidas e honestas desde os tempos do próprio Fernão, mas à menção do nome dele ou de qualquer das outras palavras tão severamente incutidas a marretadas nos cérebros das aves pelo Representante dos Alunos, suas mentes se fechavam com um estalo parecido com o som de uma escotilha batendo.

Por serem curiosas, começaram a fazer experimentos em voo, embora nunca usassem essa palavra. "Não é voo", as gaivotas convenciam a si mesmas o tempo todo. "É apenas um jeito de descobrir o que é verdade." Então, ao rejeitarem os "Alunos", tornaram-se, elas mesmas, alunas. Ao rejeitarem o nome de Fernão Gaivota, praticavam a mensagem que ele havia trazido para o Bando.

Essa não foi uma revolução ruidosa; ninguém grasnou alto nem ergueu cartazes. Mas aves como Antonio Gaivota, por exemplo, cujas penas da maturidade mal haviam crescido, começaram a questionar.

— Agora, olhe — dissera ele a seu Representante dos Alunos —, as aves que se reúnem para ouvir suas preleções todas as terças-feiras vêm por três motivos, não é? Porque acham que estão aprendendo alguma coisa; porque julgam que, ao colocarem mais um seixo na pilha, irão se transformar em santos; ou porque todo mundo espera encontrar todo mundo lá. Certo?

— E você não tem nada para aprender, meu filhote?

— Não é bem assim. Há algo a aprender; só não sei o que é. Milhões de cascalhos não poderiam fazer de mim um santo, se eu não merecesse; e pouco me importa o que as outras gaivotas pensam de mim.

— E qual é a sua resposta, filhote? — perguntou, um tanto perturbado com essa heresia. — Que nome você dá ao milagre da vida? O Grande-Fernão-Gaivota-Bendito-Seja-Seu-Nome disse que voar...

— A vida não é um milagre, Representante, é um tédio. Seu Grande Fernão Gaivota é um mito que alguém inventou há muito tempo; um conto de fadas no qual os fracos acreditam, pois não suportariam encarar o mundo do jeito que ele é de verdade. Imagine só! Uma gaivota que podia voar a 320 quilômetros por hora! Eu tentei, e o máximo que consegui foi 80 quilômetros, em mergulho, e ainda perco o controle.

Há leis de voo que não podem ser quebradas; e, se você discorda, vá em frente. Tente! Você realmente acredita... estou falando sério, agora... acredita que seu grande Fernão Gaivota *voou a 320 quilômetros por hora?*

— E ainda mais rápido! — respondeu o Representante numa demonstração cega de fé. — E ensinou outros a fazerem o mesmo.

— É o que diz seu conto de fadas. Quando você puder me mostrar que consegue voar tão rápido, Representante, então vou começar a prestar atenção no que tem a dizer.

Essa era a chave do segredo, e Antonio Gaivota soube disso assim que aquelas palavras escaparam de seu bico. Ele não tinha as respostas, mas sabia que, com gratidão e de bom grado, sacrificaria a própria vida para seguir qualquer ave que pudesse fazer uma demonstração do que ele estava falando, e que lhe desse apenas algumas explicações para a vida que funcionassem e que acrescentassem excelência e felicidade ao seu dia a dia. Até que encontrasse essa ave, a vida continuaria sombria e triste, ilógica, sem propósito; cada gaivota seguiria existindo como uma combinação acidental de sangue e penas, fadada ao esquecimento.

Antonio Gaivota seguiu seu próprio caminho, assim como mais e mais aves jovens, repudiando os rituais e as celebrações que obscureciam o nome de Fernão Gaivota, tristes com a futilidade da vida, mas ao menos honestas e corajosas o bastante para encarar o fato de que a vida era, sim, sem propósito.

Então, em uma tarde, Antonio sobrevoava o mar, pensando na suposição de que a vida é algo sem objetivo, que ser sem objetivo quer dizer, por definição, sem propósito. Em tal caso a única coisa decente a fazer seria despencar em queda livre no mar e se afogar. Melhor não existir do que existir como uma alga, sem propósito, sem alegria.

Tudo fazia sentido. Era lógica pura. Antonio Gaivota passou a vida inteira tentando pautar-se pela honestidade e pela lógica. Como, mais cedo ou mais tarde, de qualquer forma acabaria morrendo, não viu motivo algum para prolongar o penoso tédio da vida.

De uma altura de 600 metros, desceu em picada direto para as ondas, alcançando a velocidade de cerca de 80 quilômetros por hora. Era estranhamente estimulante ter tomado, afinal, essa decisão. Encontrara a única resposta que fazia algum sentido.

Mais ou menos na metade do caminho do seu mergulho mortal, com o mar vindo a toda velocidade e se avolumando descomunalmente abaixo dele, um assobio estrondoso vibrou rente à sua asa direita. Tinha sido ultrapassado em pleno voo por outra gaivota... Ultrapassado como se ele estivesse parado na praia. A outra ave era um risco branco em flamejante descida, um meteoro borrado vindo do espaço. Perplexo, Antonio dobrou as asas, freando a queda. Desorientado, perguntou-se o que seria aquilo.

O borrão foi sumindo aos poucos em direção ao mar, descendo como uma flecha para o pico das ondas, e, em seguida, dobrou-se numa arremetida forte, o bico apontando diretamente para o céu, e fez um rolamento. Um longo e lento *tonneau* vertical, seguido de uma guinada, formando um inacreditável círculo completo no ar.

Absorto no que seus olhos viam, Antonio perdeu altura; sem prestar atenção ao que estava fazendo, perdeu altura de novo. "Posso jurar", disse consigo mesmo em voz alta, "Posso jurar que aquilo era uma gaivota!". Virou-se rápido para a outra ave, que aparentemente não o havia notado.

— OI! — chamou o mais alto que pôde. — OI! ESPERE AÍ!

A ave imediatamente ergueu uma asa, movendo-se a uma velocidade tremenda, e chispou na direção dele. Antonio, em voo nivelado, forçou ao máximo uma inclinação vertical, e parou de repente no ar, como um esquiador no final de um percurso montanha abaixo.

— Oi! — Antonio estava ofegante. — O que... *o que você está fazendo?* — Era a mais idiota das perguntas, mas naquele momento não lhe ocorreu nada além disso.

— Desculpe se assustei você — disse o estranho numa voz tão clara e tão gentil quanto o vento. — Você estava no meu campo de visão o tempo todo. Eu estava apenas me divertindo... Nunca teria tocado em você.

124

— Não! Não! Não é isso. — Pela primeira vez na vida Antonio se sentia desperto e vivo, empolgado. — O que foi aquilo?

— Ah, só estava brincando de voar, eu acho. Sair bruscamente de uma picada para um *tonneau* lento com um *loop* ao recuperar altura. Só por diversão. Se estiver querendo fazer isso sempre, terá que treinar bastante, mas é bem legal de se ver, não acha?

— É, é... *lindo*, *lindo* mesmo! Mas nunca vi você lá no Bando. Quem é você?

— Pode me chamar de Nando.

Últimas Palavras

O último capítulo

não é uma história fantástica, mas me passa a sensação de ser. Como as aventuras aparecem de repente na mente das pessoas? Escritores apaixonados pelo seu ofício afirmam que o mistério faz parte da magia. Sem explicação.

A imaginação é uma alma idosa. Uma voz lhe sussurrando no espírito, falando baixinho de um mundo de luz, e as criaturas que o habitam experimentam alegrias e tristezas, e desesperos, e vitórias; o conto pronto e belo, em que faltam as palavras.Escritores rodopiam imagens para que se encaixem na ação que vislumbram; sabem de cor os diálogos, do primeiro ao último. Simplesmente inserem letras, pontos e vírgulas, e a história está pronta para se aninhar nas prateleiras das livrarias.

Histórias não são forjadas com conselhos nem com gramática; brotam de um mistério que toca a nossa imaginação em repouso. Dúvidas nos mantêm atarantados durante anos; então, uma enxurrada de respostas cai de súbito, vinda sabe-se lá de onde, como flechas de um arco que nunca conseguimos enxergar.

Foi assim comigo. Quando acabei de escrever a Parte 4, a história de Fernão Capelo Gaivota estava concluída.

À época, li e reli a Parte 4 dezenas de vezes. Jamais seria verdade! Será que as gaivotas que se guiaram pelas ideias de Fernão matariam o espírito do voo com rituais?

Aquele capítulo dizia que sim. Não acreditei nele. As três primeiras partes contavam toda a história, pensei. Não havia necessidade da quarta: um céu deserto, palavras desinteressantes para abafar a alegria, ou quase. Não, não precisava ser publicado.

Então, por que eu não o destruí?

Não sei. Guardei num canto qualquer; a última parte do livro acreditava em si mesma; eu não. Ela tinha noção daquilo que eu me recusava a aceitar: que os poderes dos governantes e dos nossos rituais aos poucos, lentamente, iriam matar nossa liberdade de viver da forma como queremos.

Muito tempo se passou; meio século no esquecimento.

Sabryna encontrou a Parte 4 há pouco tempo. Rota, desbotada, espremida sob o peso de papelada inútil.

— Você se lembra disso?

— Disso o quê? — perguntei. — Não.

Resolvi ler alguns parágrafos.

— Ah... me lembro mais ou menos. Isso era...

— Leia — disse ela, sorrindo para a versão original que havia encontrado por acaso e que a deixara emocionada.

As letras datilografadas estavam meio apagadas. O estilo era um eco do meu, porém lá no passado, uma sensação de quem eu era. Não era mais a minha escrita; era a escrita dele, do garoto de então.

130

Terminada a leitura, enchi-me das cautelas e das esperanças dele.

"Eu sabia o que estava fazendo!", disse ele. "No seu século XXI, cerceado pelas autoridades e pelos rituais, está tudo engatilhado para estrangular a liberdade. Não consegue enxergar? O plano é fazer seu mundo seguro, não livre." Ele viveu sua história, sua última chance. "Meu tempo passou. O seu não."

Refleti mais uma vez sobre a voz dele, o último capítulo. Estaríamos nós, gaivotas, assistindo ao final da liberdade em nosso mundo?

A Parte 4, finalmente impressa e encaixada em seu devido lugar, diz: talvez não. Foi escrita quando ninguém conhecia o futuro. Agora nós o conhecemos.

Richard Bach
Primavera de 2013

Sobre os Autores

RICHARD BACH escreveu outros vinte livros, entre eles: *Ilusões e Fugindo do ninho*. Foi piloto da Força Aérea americana; piloto de acrobacias aéreas em feiras e festivais; mecânico de aeronaves; e piloto de hidroaviões da Northwest.

www.richardbach.com.

RUSSELL MUNSON começou a fotografar aviões quando era bem jovem, em Denver, Colorado. Fotografar e voar são suas paixões desde sempre. Além de sua carreira como fotógrafo comercial na cidade de Nova York, Munson deu aulas de Percepção Visual na Phillips Andover Academy, na Universidade de Yale e no International Center for Photography. Ele é autor e fotógrafo do livro *Skyward: Why Flyers Fly*, e escreveu e produziu o DVD *Flying Route 66*. As fotografias aéreas de Munson estão em coleções privadas e também em museus, podendo ser vistas em www.russellmunson.com. Ele fotografa de seu avião, *Aviat Husky*.

Este livro foi composto na tipologia ITC Souvernir
Std, em corpo 11/16,5, e impresso em
papel off-set $90g/m^2$ na Plena Print.